움트

움트

발　행 | 2023년 11월 03일
저　자 | 김해인
펴낸이 | 한건희
펴낸곳 | 주식회사 부크크
출판사등록 | 2014.07.15.(제2014-16호)
주　소 | 서울특별시 금천구 가산디지털1로 119 SK트윈타워 A동 305호
전　화 | 1670-8316
이메일 | info@bookk.co.kr

ISBN | 979-11-410-5053-5

움트

김해인 지음

-일러두기-

· 시어는 당연히 맞춤법을 따르지 않았으며,
  그 외 오류가 있다면 이는 순전히 엮은이의 잘못입니다.
· 각주 (* ,**)의 일부는 엮은이가 했습니다.

엄마Ⅰ.

어느 날 아침 고등학생들이 단체로 지하철을 타고 어디를 가는지 인산인해로 가득했다.
한 학생이 자리를 양보해서 왜냐고 물었더니,
실례지만 자기 엄마처럼 키가 작아서 사람들 사이에서 힘들어 보인다고,,,

엄마 Ⅱ.
어느 날 엄마와 병원에 갔다. 계산하러 갔더니 엄마 지갑에서 아버지의 젊은 사진이 있었다.
충격이었다.
아버지 돌아가실 때 엄마가 평온해지는 느낌은 받았지만 하루가 멀다 하고 싸우고 볶던 질긴 세월 끝에 애환이 무뎌진 걸까.
엄마한테 넌지시 물었다.
젊은 시절 아버지 사진을 왜 간직하고 있는지.
아버지를 처음 만났을 때 담배 피는 모습이 너무 멋져 보였고 그때 참 행복했다고 했다.
엄마의 눈가에는 어느새 눈물이 고여 있었다.

- 목 차 -

서시(序詩)

-인생-

서 시 (序 詩)

가진 거울이 없습니다.

붙잡을 것도 없습니다.

그래서

허공에 대고 외칩니다.

나무보다 흙이 되고 싶습니다.

인
생

그 사람 (꽃)

자꾸 눈물이 납니다.
쉴새 없이 나는 눈물을
닦을 힘조차 없습니다.

온몸이 꼼짝할 수가 없어서요.
그 사람을 보내는 것이
죽음보다 더 무서워서요.

그 사람은 나를 알지 못하지만
난 그 사람이 좋아하는 것
무슨 생각을 하는지도 알기에
보내 줄 수가 없습니다.

그 사람 미소는 달콤해서
온몸이 녹아내리고
그 사람 심장 소리는 전율로
감전되어 마네킹처럼 대합니다.

나 따윈 관심도 없습니다.
그 사람은 만인의 사람입니다.

그 사람 옆에서는
주체할 수 없는 황홀감에 빠져
헤어날 수가 없습니다.

그 사람이 나를 볼 땐 홀씨가 되어
하늬바람에도 견디면서
곁에서
그 사람의 사람이 되려 합니다.

미학

적막하다 못해 지루한 밤
인적이란 없는 거리에는
정지된 화면 속에 미동도 없이
우두커니 서서
긴 한숨에 구름과자를 만들면서
사방팔방 눈빛은 화살촉 같다.
밤 부엉이가 먹이에 집중하듯
그 사내의 왠지 모를 오싹함이
등줄기에 오는 싸한 공포는 발걸음을 재촉한다.
창문을 열고 그 사내 모습을 보는데
갑자기 오열의 폭발이 고요한 시간을 깨웠다.
여보!,
그 사내의 눈물은 단지 눈물이 아닌
용서와 사랑이 아닐까?
그래! 미워하지 말자,
용서로 나를 사랑하며 살자.

짧은 인생
더는
모내지 말고 살자.

산행

들머리* 쪽으로 올라가다
야산을 넘는 에움길로 우회한다.

고부랑 할매의 지팡이처럼 고불고불
돌아다보니 사스래나무 오리나무 물참나무
온갖 활엽수가 해안가를 둘러 있고
뒤쪽은 잎갈나무가 방무림으로 조성되어 있다.

미로에서 맞닥뜨린
두 갈래는 계단의 천국이고.
자갈밭의 모양새는 함박웃음 얼굴로 반긴다.

하나만의 선택에 멈칫한 발자취는
자갈밭에 주저앉는다.
차디찬 감촉은
얼음골 사시나무 떨듯 움켜쥐고 있다.

돌섬은 갈매기 떼가 장관이다.
서로의 사랑으로 털갈이하는
부리의 모습이 넘실거리는 파도에
목마를 탄 어린아이 모습 같다.

되돌아 천국의 계단으로 올라가니

---

* 들어가는 첫머리.

나를 잊지 말아요
물망초 꽃말처럼
장미. 수국. 민들레가 먼저 보라고
짙은 내음을 뿜는다.

아름다움 향기에 취한다.

내리막길로
초가삼간 집들이 보인다.

그 속엔
산새들의 집과 시집이 있다.

무소유 글귀가 뗀다.

무에서 유가 아닌 무에서
무로 가는 길에서
찌꺼기를 버리고 간다.

만남

어쩜
내 안의 나를 보는
망원경을 목에 매고
수시로 의식하는 못된 장난감이다.

하잖은 돌멩이도
있어야 할 이유가 있듯이
필연이든 우연이든
만나야 할 사람은 반드시
만나는 지점이 온다.

그때
그로 인해
누군가의 여백 속에서
나의 자화상을
그려볼 수 있지는 않을까.

어수룩한 질문을 가져본다.

눈물

자꾸 눈물이 납니다.

이유도 없이 눈물이 납니다.

거울 속에 비친 모습에 눈물이 납니다.

지나온 세월을 억제할 수 없어 눈물이 납니다.

이 눈물이 늙은 아집인 줄 모르겠습니다.

쇠약해지는 모습에서 나는 것이 아니라

견딜 수 없는 아픔에 죽음이 두려워서는 아닐까.

눈물이란

질문도 답도 없는 강물 한가운데

위태위태 떠 있는 거룻배가 아닐까.

장사도 수국

구름을 떠나 미는 장사도는
설운 내려앉는 섬도라에 둘러싸여
꽃을 피우는 여인들 천지다.

몽글몽글 터질 듯 속삭인다.
당신에게 아직도 향기에 취하는 코가 있고
아름다움을 볼 수 있는 눈이 있으니
날 보고 내 향기에 취하세요
모든 걸 던질 태세로 당신의 모든 걸 원해요.

취향대로 날 골라 즐기세요
사랑받고 싶어 피었어요
미인도가 무지개로 유혹한다.

제발 날 데리고 가세요
뱃머리 선착장에 도착하면 수국에 취해
여자는 미인이 되고 남자는 신윤복이 된다.
가슴에 품어 둔 사랑에 떠날 줄 잊은 채
민둥산 아래 떠나 미는 장사도만 바라보며
세월의 뒤안길에 망부석이 되어 있다

누룽지

양동이에 빗물을 받으니
떨어지는 소리가
솥에 누룽지 긁는 소리마냥 정겹다.
어린 시절 간식이 없을 때
솥에 달라붙는 누룽지를 얻어먹으려고
침 고였던 때가 생각난다.
씹으면 씹을수록 입안이 고소하고
달짝지근한 그 맛을 잊을 수가 없다.
숟가락에 노오란 누룽지를 보면
며칠 굶은 사람처럼 허덕거렸다.
엄마는 냉정하게 서열에 따라 분배를 했다.
자기 몫이 오면 아껴 먹으려고
고사리손으로 조금씩 떼어먹다가는
와락 오빠들에게 뺏기고 만다.
엉엉 ~~
울면 호되게 야단맞고 잠이 든다.
꿈에 엄마가 콩쥐팥쥐에 나오는
계모가 되어 구박당하는 꿈을 꿨다.
깨어보니
옆에 황금빛 누룽지가 있었다.

사계절

당신은 사계절 중에 어느 계절이 좋소?
난 여름이 좋소.
왜요?!
가난해서 여름에는 밖에서도 잠을 잘 수 있어
난방비가 적게 들어 좋소.
그럼 당신은?
난 겨울이 좋소.
왜요?!
가난해서 몸은 춥지만
내 아내를 유일하게 안을 수 있었어요.
그건 왜죠?
우리 부부는 가난해서 떨어져 살아야 하지만
겨울에는 일이 없어서요.
그럼, 봄 가을은 왜 아니죠?
느끼기 전에 사라지는 아쉬움이
길고도 짧은 여운에 나이가 무섭고
세월도 무서워서요.
가난은 견딜 수 있지만 사계절 모두에
혼자가 된다는 것이 더욱 무섭소.

양은 냄비

사는 것이 무엇인가 묻거든
양은 냄비라고.,,,,
자신을 달궈 가면서 맛의 향연을 만들어가는
열정이 있기에,,,,,

절실히 필요로 할 때 쓰였다가
쓸모없을 때 가차 없이 내다 버려지는.

삶이 소용에 따라 다 사는 것은 아니다.
버려져도 다시 재기할 수 있는 용기가
우리에겐 있다.
오그라져도 가치를 포기하지 않는
양은 냄비가 우리가 살아가는 물음이다.

찌든 얼굴 펴 보면
비록 상처투성이 같지만
자연스레 세월 따라 묻은 미소가
그 결에 담겨 있다.

보자기

네모지게 만든 작은 천 조각이
유일한 운반 수단이었다.

어떤 물건이든 소화시키면서
예쁜 꽃매듭을 달아준다.

마음을 넣고 싸면 넉넉한 보따리가 된다.

하루를 머리에 이고 다니는
생계 수단이었다.

책을 넣고 돌돌 말아 십자 모양으로
동여맨 책가방이었다.

어머니 머리끝에 보따리가 보이면
맨발로 마중 나갔다.

유독 분홍색깔의 보자기는
간식거리 가득한
보물상자였다.

묘박지*

단층 해안, 패총 지질의 암석과
난대림의 암석원**으로 이루어진 바다에
크고 작은 배들이 모여 있다.

지친 배들도 쉬는 시간에는
사람을 기다리는 절경에 취해서일까
남자는 배 여자는 항구
심수봉을 따라 노랠 부른다.

가는 사람은 외로움에
남은 사람은 그리움에
사무친 이정표들이 파도에 너울거린다.

사랑과 이별로 이루어진 바다에
석양에 물든 크고 작은 배들이 노을 속을
드나들며 모여 있는 묘박지가 보인다.

---

* 배가 안전하게 머물 수 있는 해안 지역(바다 주차장).
** 암석원(巖石園) : 바위를 위주로 하여 꾸민 정원.

아들

나를 닮지 않았으면
좋겠습니다.
그렇다고 아버지도 닮지 않았으면
더 좋겠습니다.

주어진 유전자에도
비범한 변이가 생겨서
시시비비가 정확한 심지를 가졌으면
좋겠습니다.

나름대로 최선을 다했다는 말은
꺼내고 싶지 않습니다.

그림자는 되지 말아야
하는 것이 부모이기에
조금씩 투명한 인간이 되어가는
이유를 알겠습니다.

영원한 숙제이자
내 마음의 등대입니다.

한 남자

우연히 한 남자를 알게 되었다.

그는 외톨이었다.

늘 혼자였고 홀로 먹는 밥이 안돼 보였다.

어느 날 같이 먹자고 하니 주위에서 싫어했다.

개의치 않고 반찬을 나누어 주고
따뜻한 국물도 주었다.

눈치를 보면서 한 그릇을 비웠다.

그 후
그는 자연스레 다른 사람들과 어울렸다.

함께 밥 먹는 일이
우리가 사는 이유 아닐까.

방 (고독한 쉼터)

지친 몸으로 문을 열고 들어가면
좁디좁은 한 칸짜리 방이 있다.

전등 하나에 불빛이 들어오면
텅 빈 공허함이 감돈다.

냄새가 익숙하고
구석구석 놓인 그림자들은
날 찾아보라며 서걱거린다.

반짝거리는 눈을 돌리다
몸을 바닥에 지탱하며 눕는다.

천정에 매달인 외등이 날 반겨준다.
나만의 밤 친구다.

넋두리도 들어주고 신경질도
묵묵히 받아주면서
내가 잠들 수 있게 안아 주는
원초적 삶의 터전이다.

낙엽

된바람* 결에 갈 곳을 잃어
마음 둘 곳 없이 홀로이 떠나갑니다.

누군가가
누군가가 외롭다고 말하거든
나지막이 소리 내어 노랠 불러 보세요.

그럼
세상의 그리움과 외로움은
가슴을 울리는 노랫말이 될 겁니다.

그립다
생각나면 두 눈을 감고
나의 그림으로 걸어가 보세요.

거리마다
휩쓸고 간 옛 추억에
몸을 맡긴 채
걸어 걸어 가을 끝에 서 봅니다.

---

* 매섭게 부는 바람.

당신이 있어 행복했습니다.

난데없이
당신이 있어 행복했습니다.

당신이 있어 나는
비로소 2인칭이 되고 내게도
행복이 있음을 알았습니다.

당신의 존재가
2인칭의 삶이 서로 만나는 곳에
행복이 있음을 알았습니다.

사람이 사람을 사랑할 수 있는
2인칭의 여분에
행복이 있음을 알았습니다.

당신이 있어
1인칭의 행복이 커지는 것을
행복이 있음을 알았습니다.

난데없이
당신이 있어 행복했습니다.

일요일

아침이 부담 없이 깬다.

널브러진 이불 속에서
시간이 나동그라진다.

천근 만근한 몸
무게를 달 저울도 없다.

자유분방한 하루다.

달력의 붉은 숫자만큼
열정적인 하루다.

내일은 내일로
생각하자는 무개념의 하루다.

하루를 온전히 비우는 날이다.

낚시꾼 [아들이랑 한 번씩 낚시 가서]

만선을 기대하며
넘실거리는 파도 끝자락에
터를 잡는다.

낚싯대를 던져놓고
설렘과 짜릿한 손맛을 기다리면서
날름대는 너울과 전투를 벌인다.

출렁이는 뱃머리에서
그리움이 짙어지고
가슴앓이 되어지고

풋풋한 첫사랑 추억이
매달려 올라오고
턱 밑으로 왠지 모를 울컥함이
걸려 올라온다.

파득거리는 손끝으로
주름진 어머니 얼굴이 따라온다.

설익은 노을이 방울방울
물비늘을 털어내고 있다.

손님

별별 개성을 가진
사람들의 왕래가 식당이다.

취향도 제각각에
맛나게 먹는 모습에
지친 몸도 녹아내린다.

개도 안 물어 가는 장사 돈은
얼마나 값진 돈인가.

정성껏 한다고 해도
투덜거리는 아이들처럼 투정하고
신경질적인 사람이 있으면
내쫓고 싶을 때가 한두 번 아니지만
목구멍이 포도청이라
참을 인을 세 번 한다.

장사하는 친구들
여분 없는 생업을 하면서도
웃는 여유에 한 컷 배운다.

그까짓 것

그까짓 것
오는 대로 받아주고
가는 대로 내버려 두고

그까짓 것
타인의 얼굴이 될 필요도 없고
도란도란 내 멋으로 웃는 것이 인생이다.

그까짓 것
후딱 가는 세월
잡자고 애쓰지 말자.

그까짓 것
파도야
파도야 하고 살자.

순애보

화장한 봄날이 꽃에 미쳤어요.

당신 없이는 못 살 것 같더니
세월이 약이 되더군요.

봄이 오면 왠지
그대 앞에 서서 이름을 불러 보네요.

아픔의 시련에
가시 돋친 말에 상처투성이지만
그래도 미련이랑 두고 가신 것 같네요.

봄이 오면
당신 그림자라도 보고픈 이 마음
사랑이란 굴레인가 봐요.

휘날리는 꽃대에
당신 이름을 불러 보네요.

무작정
봄 따라 길 따라
걸어 보네요.

얼굴 (인생무상)

얼굴이 인생이다.
나이에 맞게
조금씩 잔줄이 마중 나온다.

어떻게 살았냐고
각자의 주홍글씨가
골짜기를 그려간다.

평온했던 민낯에
심었던 나무는
주름살을 따라 푸름을 잃는다.

0에서 시작한
나이테가
한 줄 한 줄
숫자를 채워가고 있다.

녹당[*]

긴 밤 댓잎 소리
부엉이 휘파람 소리
아스라이 기나긴 밤을 부른다.

탁류에 빠져 허덕이는
화류계의 삶조차도
초대받지 않는 객조차도

등불 하나에 모든 걸
맡긴 긴 한숨의 소담

적막을 피워 올리는
곰방대의 운율

시를 읊조리면
여자의 한이 서린
깊은 밤마저 어두워진다.

산다는 것은
살아있다는 숨소리

살아있다는 그 소리는

---

[*] 녹당(綠堂): 푸른색을 칠한, 여자의 거처.

한 칸 방의 들 속에
갇힌 마음이 아닐지.

긴 밤 댓잎 소리
부엉이 휘파람 소리
아스라이 기나긴 밤을 가른다.

응급실

비 온 뒤 우중충한 하늘을 보니
쏟아질 듯 위태위태
흐느적거리는 내 눈물 같다.

마음을 비우니
나를 바보라고 하고
마음을 얻고자 하니
내 심장은 검푸른 독이
가득 찬 장독 같고.

어디 둘 곳도 없는
팔랑개비 인생인 걸.

왜냐고 묻는
어리석은 질문에 밤새 우는
망자의 검푸르른 물결 소리
정적마저 을씨년스럽다.

어둠을 쫓아 안개 속으로
내 몸을 맡겨 둔 채 채찍질로
새벽을 여는 한숨 소리
검푸른 물결에 흐느적 잠겨 든다.

하루의 위대한 재산을 모른다.
낮과 밤의 회오리바람 알갱이들이

무수리 임을 잊으면서 산다.

고통에 절규하는 사람들
늑대의 울음소리가
내 심장에 꽂힌다.

검푸른 물결 구름 속으로
흔들거리면서 내 몸을 맡긴다.

빈처

삶의 의미를 담고
살았건만.

지천명이 되고 보니
아무것도 아닌걸.

그 무엇에 쫓겨
그렇게도 헤매고
두려워했던지.

참 그땐
어두운 터널 속에서
얼마나 몸부림치고
아등바등 살아야 하는
의미도 없이 살아있는 송장이었다.

그래,

살아야 할 의미를 준
불씨 같은 자식이 있기에
꺼지지 않는 촛불이 되어야 했다.

가난은 죄가 아니다,
조금 덜 편할 뿐이다,

촛농 같은 인생이지만
불꽃으로 태워버린
내 세상사
스스로 지천명이 되었다.

외로움의 온도

조금 여유로움이 주는
좋은 추억이든
나쁜 추억이든
그런 그리움이 아닐까.

산다는 것은
세월의 흔적으로
책 속에서 글자처럼
묻어지는 것이 아닐까.

계절에 따라
청춘이 변하듯
시시때때 오는 갈증의 해소처럼
목마른 추억을 담고 사는
고독한 체온이 아닐까.

혼자만의 독백처럼
아이러니로 오는 중독이 아닐까.

수많은 글자 속
한 페이지의 추억이
유지해 주는 것이 아닐까.

라이브 카페

여자는 분위기에
녹아내리고
남자는 분위기에
심취해 간다.

색소폰 연주가 나온다.
분위기에 빨려 들어간다.

한 남자가 묵직한 목소리로
빈잔을 부른다.

잠시나마 내려놓는 무게를
빈 잔에 채운다.

종속된 삶의 여유로움
음악에 해탈이 되고

휘청거리든 밤바람이
나들목 지점에 내려앉는다.

빈 잔에
빈잔을 들이붓는다.

적료*

따스한 봄 햇살 아래 적적하고 고요함이 젖어 드는 산자락에
앉으니
마디풀과의 잡초가 억새풀처럼 꼿꼿하게 서 있는 심지로 보
인다.

햇살에 비친 초록 물고기 푸른 등선 밝디 푸른
신호등 불빛으로 심마니 길잡이로 인도한다.

청청한 푸르른 음지길 양지길 두 갈래가
실타래처럼 꼬여있다.

어느 쪽을 가던 만나는 길은 한 지점인 걸 알면서도 양지 길
을 택한다.

편안함의 안식처로 가는 얄팍한 심지가 사람이다.

주는 만큼 내어주는 자연의 섭리에 익숙하지 못한 우리는 번
번이 적료가 되어간다.

---

* 적료(赤蓼) : 디풀과의 여러해살이풀

슬픈 사랑

미묘한 감정이 다가오는 걸
느꼈을 때,,,
가슴이 벅차 올라서
감당할 수 없는 사랑의 의미

그리움보다 더 보고파질 때
그 사랑이 이미 떠나간걸
알았을 때,,,,,,.

무작정 울고 울었지만
돌아오지 않는 그 사랑은

눈물도 흘릴 수 없는 아픔이
내 가슴에 주홍글씨로 남아 있는
그 이름,,,,

사랑에 가슴이 아파 와
망각조차 시린 가슴앓이는
내 몫으로 남겨 두고 싶네요.

설거지

배고픔을 채워 준
그릇을 씻는다.

욕심이 많을수록
그릇에 묻어 난
찌꺼기도 많이 보인다.

덕지덕지 붙은
내 마음을 씻어
내리는 기분이다.

얼룩진 상처를
돌보는 것처럼
짐을 내려놓는다.

하루에 한 번
정화된 마음으로
설거지를 한다.

짝사랑

사랑의 모습은 보이지 않으면
사정없이 나를 흔들고
내 안에 가득하면서
붙잡지도 소유할 수도 없는 존재.

바람처럼 다가와서는
또 어디론가 소리도 없이 사라지는
하늘거리는 존재.

노을이 그리움처럼
엇갈리는 우리 사랑
이별이 없어 그나마 견딜 수 있어
그리워할 수 있는 존재.

부질없는 허무의 몸짓으로
머뭇거리지 않고 멈추어지지 않는
혼자만의 존재에
아침 문을 열어 봅니다.

시집

모처럼 대청소를 했다
눈에 익은 시집을 보니
그 친구가 생각난다.

낙엽 같은 세월이 떨어져 가는
오늘을 살아가면서
세월은 가지 않는 모습을 남겨 둔 채.

싸늘한 바람이
쓸고 지나간 들
무엇이 외로운가.

떠남 속에 찾아드는 추억을
나는 버릴 수가 없다.

인생길

넓은 길♡
인생 행로 다 가질 수 있고
마음먹는 대로 될 것 같은 첫길이다.

샛길♡
살아가면서 지치고 피하고 싶을 때
굳이 어려운 길보다 가게 되는
인생의 첫맛을 안기는 길이다.

막다른 길♡
이래저래 뜻대로 되지 않고
포기하고 싶을 때 억눌린
삶의 무게가 자포자기해지는 굴곡의 길이다.

굽은 길♡
한 치 앞도 가늠할 수 없이 살다 보니
이런 날 저런 날
한 번쯤은 다 겪었을 길이다.

어떤 길도 내 길로 가는 인생길이다.

책

책장을 넘기는 손끝에
묻어나는 향기처럼
어느덧 마음을
은은하게 울려주는
화술의 깊이가 헛헛한
가슴을 채워 준다.

곡예사의 아슬아슬한
순간처럼
한장 한장 순간순간
내 속에서 채워지다가
어느새 주인공이 되어 있다.

그 무궁무진한
상상의 날갯짓으로
페이지마다
삶의 번뇌가 스쳐 가면서
한 인생의 단막극이 닫힌다.

그 어떤 누구의 삶도 아닌걸
책 한 권의 인생도 내 안에 가득
채워가면서 마지막 손끝에 맡긴다.

비닐하우스의 비 (존재의 이유)

누구를 원망하듯 가슴을 움켜잡고
땅을 치는 소리가 한 많은 절규처럼
들리네요.

세상의 모든 병균을 씻어내리듯
얕은 몸부림에 더할 나위 없이 쏟아붓네요.

과거를 씻어내리듯
현재를 씻어내리듯
잊고자 하는 것에 다 씻어내리는
마음을 떨치고자 비에 흘려보낸다.

비닐 속에 갇혀 있는 마음
비가 때리는 소리에 달래지는
모든 잡티들 때알*에 흩어진다.

헤매이는 마음처럼
흩어지는 마음처럼
갈팡질팡 마음처럼
쉴새 없이 흩어지면서 비를 뿌린다.

어둠침침한 언저리는
둘 곳 없이 흩어져 뿌연 운무 속으로

---

* 땅꽈리: 가짓과의 한해살이풀.

간혀 버린 내 마음처럼
흩어지는 빗속으로 달려 가 본다.

두서없는 마음
분별없는 아집의 비가
심술궂게 마구 때린다.

바람에 실려 쏟아지는 빗물은
형용할 수 없이 삼켜버린다.

아! 한탄의 비통함이 울리고
대책 없이 방관되었다.

눈물 반
한숨 반
흩어지는 비에 젖어 허수아비가 되어 있었다.

후회 없이
후회 없이 당신을 떠나 봅니다.
당신을 만나 슬픔*도 기쁨도

인생의 쓴맛과 단맛에 젖어
내 모습은 어디에도 없었습니다.

후회 없이 산다는 것은 없겠지만

---

* '슬픔'의 옛말.

나이가 젖어 드는 추억의 여행처럼
긴 여운에 묻어두려 합니다.

흘러가는 빗물에 내 마음을 내려놓으니
내가 물이 되어 인생의 길이 되었습니다.

나의 열정을 퍼부어대는
젊은 날의 날갯짓이 없다 하여도
현재의 모습에 후회 없으리

외로움과 고독으로 산다고 하여도
열심히 살아왔던 나의 삶에
타인으로 인해 무너진다고 한들
나의 몫을 받아들이는 것에

지금 난
존재함으로써 행복한 사람입니다.

꽃마을

차에서 내려 꽃마을 올라가니
꽃양배추가 햇님처럼 방긋방긋
길을 안내한다.

고요 속의 적막한 가게들은
겨울잠 자는 뱀처럼
움치어 잠자는 모습이다.

터벅터벅 산자락 홀로 거닐며
산새 소리가 겨울 아침을 깨운다.

산울림처럼 울려오는 차소리는
겨울나그네처럼 황망해진다.

을씨년스럽게도 나무들도
사시나무 떨고 있다.

밟으면 밟을수록
바스락 낙엽 소리가 하늘과
맞닿은 겨울잠을 깨운다.

겨울산

생선뼈처럼 가시 돋힌 가지가
벌거벗은 채 사방으로 휘어진 채
한복판에 서 있다
메마름에 죽어가는 삭정이는
건기 때문인지 비트적거린다.
돌산 봉우리만이 불그스레한 채
을씨년스러운 바람소리는
혼탁한 세상을 실어 가는 것 같다.
보라빛이 도는 붉은색이
백내장처럼 흩어졌다
모아지는 산자락엔
내 몸을 실었다 내려놓는다.

휑한 겨울바람 소리엔
인적조차 없는 모퉁이에 서서
곱슬곱슬 얽힌 가지들 사이에서
매듭을 풀고 싶다.

풀리지 않는 세상사 탓인가.
풀리지 않는 코로나 탓인가.

피정

마음 둘 곳 없어 피정을 나섰다.
길가에 꽃들은 차가운 바람결에
삭정이 내 모습이다.

목젖에서 목마른 갈증이 올라
입안이 바짝 타들어 가는 느낌은
에는듯한 겨울에도 속앓이 탓일까.

마스크를 벗어버리고 싶은
갈망이 갈증으로 투정부리는 것인지
내 병 탓일까.

계절은 어김없이 피부에 와 닿는데
공상 영화의 로봇처럼
인간의 지시대로 움직이는 모습이다.

인간미가 없는 황폐한 도시에서
자연의 흐름에 만족에
피정을 마친다.

지줄대는 말 (헛애*)

산 언덕배기 둘러싼 푸른 초원
그늘 아래 위 하늘은
각각의 모습은
아침 얼굴들의 모습이다.

산너머 푸른 줄기
곡선따라 춤추는 곡예사의
아슬아슬 줄타기 능선의 모습이다.

새들의 지저귀는 소리는
늦잠꾸러기 엄마의 잔소리처럼
쉴새 없이 연발타로 이어진다.

물 한잔의 꿀맛 같은
공기의 흡입은 목마른 자의
생명력으로 이어진다.

살아 있으뫼
뭣들 아름답지 않으리

살아 있으뫼
뭣들 소중하지 않으리

---

* 아무 보람없이 쓰는 애.

살아 있으뫼
뭣들 무엇이 부러우리

하우스에 핀 꽃은 청초하거늘
색깔 따라 환희가 느껴지는데
하늘은 운둔하고 음치스럽게
먹구름이 낀다.

여름이면 어이없이 오는 장마의
초대받지 않는 손님이
불쑥 오는 느낌이 든다.

우울하고 울적한 기분은 반갑지 못한
손님 탓일까.
아님 내 기분 탓일까.
몰라도 공허의 집합소가 머릿속을
어지럽게 만든 날씨 탓일까.
푸르른 나무 그늘도 없고
짓푸듯한 땀 냄새에 두 눈이 덮여버린 오후다.

한사람

한사람 땜에
삶에 익어가는 것을 배웠고

한사람 땜에
사랑은 영원하지 않은 나만의 고독함을 배웠고

한사람 땜에
그리움도 추억으로 묻어지는 생을 배웠고

한사람 땜에
세상사 그지없이 가는 세월에
나이를 먹어가는 것이라 배웠고

한사람 땜에
그 한 사람이 아니라
자신임을 알았습니다.

소주 한 병

한 잔을 마시면
애벌레에서 나비가 되어
창공을 얻는 기분이고

두 잔을 마시면
푸르른 구름 위로
떠 있는 기분일 것이고

석 잔을 마시면
모든 게 내 것인 양
노력의 열매를 따 먹는 기분일 것이고

넉 잔을 마시면
낙상으로 떨어지는 쓴맛으로
인생을 탓하는 기분일 것이고

닷 잔을 마시면
인형 아닌 오뚜기처럼
익숙해지는 기분일 것이고

엿 잔을 마시면
히스테리 같은 희노애락의 진미를
마시는 기분일 것이고

막 잔을 마시면

인생을 짊어진 지게를
내려놓는 기분일 것이다.

465번지 남부민2동

내 앞에 길이 보인다.
이 길의 시작과 세월에 묻혀 있듯이
흔적도 그대로 있지만
희끗 보이는 새치머리와 주름진 미소가
우두커니 배경으로 그려져 있다.

골목 어귀에 들어서면
80년대 찌들린 사람들의 아우성 이명이 들린다.

집집마다 이유를 막론하고
시장을 방불케 할 정도의 소리와 시끌벅적
골목대장 놀이가 불꽃 튀는 하루가 시작되는 동네   465번지
남부민2동 사람들 모습이
동네 어른들의 얼굴에서 내 어릴 적 추억이 온다.

되돌리고 싶을 만큼 좋은 추억은 없지만
살아 온 삶이 어떠한들
이곳은 내 어릴 적 모습이 회상되는 곳이다.

가난한 마음

가난한 마음이
나를 움켜지고
있다는 것을 알았다.

밤이 숨겨주던 우울한
꿈은 사라지고
아침이 드러내고
파르스름히 우거진 산에
번득거리며 새로 태어난 갖가지 축복

폭포수처럼 흘러내려도
얼음 속에 굳어져 버려도
계절을 거스를 수 없듯이

'나'라는 삭정이 같은 사람

그 속에서 새싹이 필 때까지
살아남아야 할 이유가 있기에
살아 볼만하겠지요.

세월은 붙잡을 수 없지만
살아 있다는 것이 행복이 아닐까요.

아들

무뚝뚝한 놈
어찌 저리도 인정머리가 없는지
조잘대는 참새처럼 말을 하면
멀뚱하게 딴짓하는 아들.

남들 다 하는 인사말도 없이
불쑥 들어와서 밥 달라는 말 한마디
던지곤 텔레비전에 빠져든 아들.

볼 때마다 저 속에 무슨 생각을 하고 있을까.

침묵 속의 고요가
시간의 초점에 맞춰 무색하리만큼 채색되어
물들어 가는 하루가 긴 여정에 다다른다.

아들 부르면
왜요 의문문 같은 눈으로 나를
뚫어져라 보고는 얼굴빛이 괜찮네요.

너스레의 얕은 미소가 제 할 일에
집중하는 데 소모해 버린다.

짐을 챙기고서야 엄마 부른다.
할 일을 팽개치고 아들 곁에 앉는다.
아들은 나를 꼭 안고서야 속삭인다.

아프지 말라고
엄마가 있어야 내가 있다고
짐만 되는 아들에게 짐만 되는 내가
할 말이 있는지.

또 올께요 하고 뒤도 안 보고
가버린 아들을 보면서 뒤바뀐 세상을 사는
우리에게 주어진 질문은 무엇일까.

삶이 멈춰버린 듯한 지금
아들은 혼자만의 전쟁터에서 치열하게 싸우고
지친 몸으로 잠시 쉬어가는 안식처도
편안하지 못한 채 다시 전쟁터로 나간다.

아들 빈 자리에 하얀 봉투가 있다
짧은 편지와 돈이 들어 있었다
엄마가 아파서 내가 더 강해져 있었다는.

나는 주체할 수 없이
눈물만 흘릴 수밖에 없었다.

한나절의 봄

하늘빛은 푸르고
파란 숲 사이에 포플러나무며
자작나무의 암녹색 연초록 잎사귀

한기를 덧입은 빛이 반짝 스쳐
봄의 생기를 든 채 화려하게 드러낸다.

유쾌한 얼굴들은 이글거리는
봄의 눈빛에 녹아내리듯 청명한 한나절
햇살을 뽐듯이 걸어가고 있다.

눈부시게 밝은 빛은 시샘한 봄의 정취가 오만하게 뿜기는 따
스한
빛이 봄노래를 읊는다.

밤비

양푼이 대야에 물 떨어지는 소리가
창밖에서 들린다.

간격을 맞춰서
사시 떨리듯 오는 소리가
긴 여정으로 묶어놓은
어둠에 묻혀 스르르 잠이 든다.

죽은 시인은
비와 바람과 우수와 고독으로 씻어내린다.

먹물을 떨어뜨리는
긴 밤의 고요가
오늘과 내일의 연결고리로 흘러내린다.

뚜벅뚜벅 미세한 조락으로
씻어 내리는 밤의 정적은
내일의 여명으로 다시 떠 있겠다.

가는 곳마다

가는 곳마다
도처춘풍이로다.

가는 곳마다
연리지에서 벗어날 수가 없구나.

가는 곳마다
인산인해 꽃가마 행렬이구나.

가는 곳마다
나무숲에 다람쥐 날 반기는구나.

가는 곳마다
꽃 속에 꿀 따려고 벌떼가 노니는구나.

가는 곳마다
바람결 따라 내 맘 설레는구나.

담배

사람마다 피우는 모습을 보면
개성이 보인다.
젊을수록 연기 속으로
감정을 뿜어내는 한 박자 빠른
리듬을 탄 도넛츠가 보인다.

고된 사람들 모습에선
한숨 반 연기 반
링거 속의 영양제를
맞고 있는 모습에서
한 방울도 남기지 않기 위해
사투를 벌인다.

무의식적으로 피우는 사람들은
절친들과 입담으로 이어가면서
연줄처럼 당겼다가 끊어 버린다.

무촌 같은 존재가 되어버린 사람은
허전함을 견딜 수 있는 것
無에서 有로 필터까지
타들어 간다.

무익함도
인생에서는 절대 강자가 되는 법이다.

미래지향적인 꿈보다
현실주의적인 삶의 모태가 아닐까.

맛을 모르는 나에게도
그렇게 보이는 이유는

안개 낀 해무 속에서
아직도
헤매고 있는지도 모를 일이다.

노모와 아들

고질병을 받아들이기까지 쉽게 포기할 수 없는
목울대의 목마름에 퍼덕거리는 물고기였다.
이승과 저승으로 오가면서 깡으로 버텨왔던
아픔은 삶의 끈처럼 엮어가는 실타래였다.

약을 타고 버스를 기다리는 병원 앞 정류장.

하반신마비의 노모에게
희끗희끗한 아들이 붕어빵을 내민다.
먼저 먹어야 먹는다며 입을 손으로 막는다.

우리 어릴 때 먹이느라 제대로 먹지도 못해서
몸도 이렇게 됐는데 이제 내가 엄마한테 사 준다고
붕어빵을 내밀자 노모는 꼬리만이라도 먹으면
내도 먹는다고 한사코 거부한다.

한 입 베어먹던 아들의 얼굴에
쉴새 없이 눈물이 흐른다.

노모는 한 손으로 눈물을 닦아주면서
붕어빵을 베어먹고 참 맛나다
우리 아들이 이렇게 커서 엄마한테
맛난 것도 사 준다고 웃어 보인다.

그들이 떠나고
기다리던 버스도 떠나고

인적 끊긴 늦은 밤까지 그렇게
이제는 떠날 이도
기다릴 이도 없는 곳에서
이방인처럼 하염없이 앉았다.

김치

맵고 짜고 비릿한
인생의 절반이
이 빨간 콧물 눈물 맛이다.

야릿한 호된 맛이
없어서는 안 되는 삶이다.

처음엔 밋밋하지만
나이를 먹으면 먹을수록
감칠맛이 살아난다.

나만의 김치 맛을 내기 위해
특유의 맛을 알면
나만의 김치가 된다.

자
연

움트

소금밭에 메밀꽃이
만개하여 설운이 앉아 있어요

먼동 산 끝자락 조금씩 내리며
새순 꽃망울 아우러지는
봄노래 너울거려요

바위섬 위에 물결치는 파도가
솔잎 밭에 어우러지는 봄의 새싹이 피어오르네요

흔들리는 웅덩바위에
푸른 새싹들이 춤을 추고 넘실거리네요

잠들고 숨어버린 자연의 만물이 일어나는
봄동이 돋아 감칠맛으로 봄나물 입맛 돋아요

벗고 벗어 상생 싱그러움이
웃는 박꽃이 되어 있네요

모든 만물이 살아 있는
상생이 봄 움츠려지는 날갯짓이
움트 하네요.

여수 향일암

깎아내린 바위 조각품
위태위태 장엄함이
칼 찬 영웅들의 모습이다.

부처님 인자한 모습과
잔잔한 은빛 얼굴빛이
소금밭에 앉아 있는 거북바위
검버섯 돌섬

면청* 모습
애틋한 사랑에 눈물샘이
여수 밤바다의 애잔이 보인다.

통바리 위에
돛대가 쌓여있다.

긴 여울
새 산들 수다가 밤낮이 없네.

---

* 면청(面請) : 명사 마주 대하고 있는 자리에서 청함.

가을 문턱

간들간들
바람이
가을을 부르네요

달래달래
낙엽이
가을 춤을 추네요.

속삭속삭
코스모스
가을을 흔드네요.

야들야들
가을이
나풀거리네요.

걸음걸음
내 마음
가을 곁에 가닿네요.

석이버섯

절벽에 피는
검은 꽃을 아시나요.

바위 石자에 귀를 닮았다고
석이버섯이라고 하네요.

머나먼 산기슭 위에 착 달라붙어
생식하는
험난한 산세에 산행하면서 목숨을
내어놓는

그래서 귀한 것은
험난하고 위험해.

우리도
소중하다 싶으면
조금씩 양보하고
아끼면서 살아가기를.

재봉춘*

살살이 오는 봄바람
살랑살랑 내음 향기로 유혹하고
짙은 화장 냄새가 시선을 멈춘다.

미니스커트 치마
흩날리는 머릿결 향수에 취한다.

살살이 꽃내음
첫사랑의 설렘처럼 가슴이 뛴다.

살살이 취기가
오르는 홍조에 봄의 여자가 되고 싶어진다.

칙칙한 만개 구름
봄비에 씻어 돌아온 봄이 연달아 찾아왔다.

우리
인생에도 재봉춘이 있다면
좋으련만.

---

*재봉춘(再逢春): 1. 음력으로 윤달이 들어가 일 년에 입춘이 두
  번 드는 일. 2.불우한 처지에 놓였던 사람이나 쇠하던 일이
  봄을 맞은 듯이 회복됨을 이르는 말.

선인장

가시처럼 살아야 살 수 있고
가시가 있어야 억척스럽게 되고
가시 속에는 눈물이 고여 있어도
울 수 없는 엄마라는 굴레.

여자의 일생처럼
남들에겐 독한 소리 들어도
여자라는 것을 버릴 수 있는 엄마.

살아야 하는 나였기에
선인장 가시가 되어야 했다.

내면을 찢어보면
상처투성이에 눈물로
모든 걸 채웠지만
후회하지 않습니다.

왜냐고 묻거든
한 생명이 성인장 속에서도
건강하게 자랐어요.

남들은 가시가 있어서 싫다고.
가시 속 희노애락이
여자 일생이 아닐까요

우리
어머니들의 꽃이 아닐까요.

가시 돋친 말은 상처를 주지만
가시 돋친 삶은
질긴 인생의 맛이
아닐까요.

눈꽃

눈설꽃이 바람에
흩뿌리는 만개 천지다.

어두어두 빗살 속에
한잎한잎 나풀거리는 눈설꽃이 붉은 앵두다.

설운의 휘발거리는
디딤돌에 앉아 디딤질을 한다.

명주 위에 꽃잎도 새겨보고
색조 꽃잎도 물들인 내 몸을 새겨본다.

나풀나풀 나비떼가 춤을 추고
꽃잎에 앉으니 잎새 노랑이 글을 적는다.

하늘에 눈설꽃이 내리니
불나비가 빛내리니
곁에 살포시 앉아
사랑의 설렘 볼에 앵두가 되었다.

꽃 속에 여자가 되었고
꽃 속에 나비가 되었다.

쇠비름 ♡ 채송화

쌍떡잎 갈래꽃
아침 문을 열고
간들거리는 쇠비름
솜틀이 코끝을 자극해 간들거리고.

풀벌레들이 아롱아롱
재롱을 부르면 방긋 웃는다.
구름 물결
푸른 물감 푸르게 푸르게
물들어가는 청출어람.

햇살 녹아내리는
설렘에 만남이 속살속살
살결에 돋는다.

朝夕 바람결
풀섶에 산들거리는 붓놀이에
노을을 삼킨다.

가을 무늬로 남아줘

소슬한 바람 따라
가을 무늬로 남아줘.

물들인 색조처럼
여운이 새긴
만인의 단풍잎.

갈대바람 억새풀
되돌아오는
님 발자국 소리에
눈물짓는 가을로 묻어지고

그리움은 그리움대로
보고픔은 보고픈대로

작은 잎새 하나
그 인생이 무지인데

하물며 우리 삶은
터널 속 긴 여로

잠시 쉬었다 가는 인생길
아등바등 달리는 인생길

긴 한숨이 만산 얻고자

하지 말고 내 품 안에 안고
가는 인생길

보이는 것이 내 품이요
내 사랑인걸
흔적조차 남기지 못한
담배 연기 속으로 오는
가을 남자

가을비 젖어 오는
가을 소리가 내게 다가와
얼굴을 묻고 잠든다.

영춘*

한 걸음 한 걸음 걸을 때마다
내 곁에서 청춘이 속삭인다.

나무마다 찍어 놓은 듯
은은한 묵향의 설레임.

긴 머리 한들거리면서
나풀거리는 나비들 먹거리에 살찌우네.

형형색색 나비들이
여자들을 유혹한다.

여자가 사랑할 때
달콤한 키스의 감미로움

남자가 사랑할 때
여자의 향취가 나른하게 나무를 만들고

저 끝 모퉁이에 서서
바람이 날 유혹한다.

---

* 迎春: 봄을 맞이함.

씀바귀나물

치매 앓던 외할머니가 좋아했던 나물

쌉쓸한 향과 된장의 고소함이
어울려 입맛을 당긴다.

정신이 없다가도 나물이 밥상에 있으면
어릴 적 생각에
눈물짓는 할머니 모습이 아른거린다.

털복숭아처럼 털이 있고
나무 이파리처럼 흔하게 보여도
된장찌개와 어우러지는 맛은
한국의 밥상이다.

산해진미 침샘에 오는
눈으로 입으로 아닌
투박하지만 정이 담기어
사람 냄새가 풍긴다.

씀바귀나물에 정을 나눈다.

목련

아름아리 우유 빛깔
어미의 젖가슴이 보인다.

아기에게 젖을
먹이면서 사랑스런
눈빛이 그윽하다.

부드러운 손길
고귀함이 성스러워 보인다.

아기의 잠든 모습에
사르르 녹아내린다.

주체할 수 없는
자양분이 젖으로
꽃을 만들어 낸다.

잠든 아기는 어미의
향기에 조금씩 도취하면서
심지의 뿌리가 되고

나무 기둥이 되어
어미의 서까래가 된다.

터질 듯

말 듯
어미의 봉우리에

아기는 더듬이로
어미를 찾는다.

갈봄[*]

산 끝자락 풋것의 냄새
새잎이 돋고 만개한 꽃이다.

초행길 동행 걸음이
달달한 솜사탕처럼 부드럽다.

청명한 하늘 끝자락에 불어오는
새들의 흩뿌리는 눈꽃이
허공에 맴도는 신선한 꽃사탕이다.

나른한 오후
달달한 맛에 녹아내려
내 몸을 맡겨 낮잠을 잔다.

---

[*] 가을봄의 준말.

동자꽃

산 뜨락에 피어지는 꽃

태연자약한 채 소담스레 핀 꽃

산들바람 속에 숨어 숨바꼭질하면서
살짝 쿵 내민 동자꽃

솜털풀에 보담스레 안고 있어
부끄러움에 숨어 피는 꽃

부끄러움에도 예쁘고 싶어
주황색으로 얼굴을 내민다

짙은 연지곤지 새색시로
낭군님을 찾느라
사방으로 한들거리네

자연

그대를 사랑하는 건지
그건 몰라도,,,,,,
희열
고통
땀의 범벅에 전율이 모든 걸 젖게
만든다.

한낮의 태양열
저녁은 대지를 잠재우고
산에는 밤이 걸려 있었다.

그대를 사랑하는 건지
그건 몰라도,,,,,
달
구름
안개 속에 얼굴을 내밀고
내 심장 속에 열기가 가슴을 죄어온다.

깨어나라
새들의 부드러운 속삭임은
새벽을 여는 여명 앞에 용서할 수 있구나.

그대를 사랑하는 건지
그건 몰라도,,,,
눈

손
보고 만져도 더듬기도 하지만
좋은 스승
자연으로 다가갈 수 있어
아름답지 않은가

그대를 사랑할 수 있는 열정이
내 가슴에 묻혀 있어
돌보지 않는 게 차마 아름답지 않나요

높새바람

높디높은 아집쟁이
사랑도 독창적으로 만들고.

독백으로 사랑을 고백하지만
들어줄 임은 메아리만 아득하니.

심술궂게 산맥을 흔들어
사방팔방 휘젓어 다니는 꾸러기.

자연인의 호곡
혼자만의 짝사랑 마바람에
갈매기떼가 나비춤을 추고.

바람조차 뜨거운 열기가
푸르른 평지를 팔딱팔딱 조금씩
쪼아 먹는다.

까마득한 들판에 고즈넉한
심술이 돋는다.

슬도

삶의 뿌리 섬
인적없어 갯벌은 살아 숨쉬고
섬도 잠시 숨 고르기를 한다.

짠물에 스며들 듯
바람막이 삶으로 이어가는 섬마을
사람들 삶도 짠내로 스며든다.

자연으로 얻어지는 미역.
멸치잡이 톳으로 생계를 이어가지만
민낯의 웃는 모습은 순수 그 자체다.

원둘레 풍랑으로 에워싸인
무릉도원 선비의 슬도가 있다.

그곳에는
해무가 전체를 덮어버린 포효
섬도리가 있다.

은행나무

날
건들지 말라고 냄새를 뿜어내는
노랑 알알이 뜨락을 이룬다.

날
기억에 달라고 밟으며
내 흔적을 잊지 말라고
고약한 심술을 낸다.

야수의 모습으로
미녀를 갈망하는 진실된 사랑
찾으러 사방팔방 흩뿌린다.

고독
허무
절망
열애
교태를 알맞게 받아들일 줄
아는 여자가 숨어 지낸다.

丘首*

가라지도 않지만
가서 오지 않는 사람보다

어김없이 그리움 따라
밀려오는 물때처럼

오라지도 않지만
오자 떠난 사람 대신에

머문 흔적들 따라
배여 있는 흙냄새처럼

어차피
그래 어차피
처음과 끝은
丘首가 아닐는지

---

* 여우는 죽을 때 자기가 원래 살던 산 쪽으로 머리를 둔다는 뜻
  으로, 자신의 근본을 잊지 않음을 비유적으로 이르는 말.

달롱개*

자글자글한 된장국에
상큼하게 다가오는 달래를 넣는다.

새콤달콤 무쳐 먹으니
봄 내음이 가득하고

흰쌀밥에 쓱쓱 비벼 씹으면 씹을수록
입안 가득 그윽함이 오랜 벗 같다.

문득문득 떠오르는 맛의 음미가
잊히지 않는 옛 추억이 아름답지 않은가.

꽃눈으로
길 따라 봄 향기에 취하고

코로나로 어지러운 세상
꽃비가 그나마 위로해 주고
달래주는 것 같다.

---

* 달래

상사화

진달래도 아니고
철쭉도 아닌 것이
서로 뽐내느라
꽃비를 내린다.

서로들 향기를 맡으라고
온 힘으로 꽃비를 내린다.

내 삶에
살아갈 어떤 이유가 있어서
꽃들도
산새들도
나무들도
이렇게 다 젖도록
상사할 하늘이
여태 남았는지
꽃비를 내린다.

동박새

어깨에 들리고 간벌하는
톱질소리에
직립으로 서 있는
나무들 사이에
동박새 한 쌍이 화들짝 놀라
짹짹거리면 공중으로 회오리 원을 그린다.

흔들리는 가지가
사시나무 떨듯
땅의 직면으로 떨어지자

잽싸게 은둔자 모습으로
사라졌다 나타나서 원망하듯
서럽게 울어대는 동박새 부부는
짙은 먹구름이 다다르자 사라진다.

가지를 쳐내는 낫질에
둥지 안에는 배곯은 어린 새가
입만 벌리고 움츠린 채 꺼져가고 있었다.

잡초

한 송이 꽃을 키우기 위해
모든 걸 쏟아 부었거늘

꽃이 피기 전에 잡풀에 파묻혀
잡초와 사투를 벌여
겨우 한 송이 꽃을 피운다.

내 손가락이 피멍이 들어도
좀처럼 죽지 않는
질기고 모진 극한직업이다.

뽑아도 뽑아도 다시 자라는
잡초에 감사하면 살고 있다.

사느냐
죽느냐의 기로에서
잡초는 내 생명의 샘물이다.

물 뿌린 만큼
뿌리로 자양분을 생산해
기계화될 수 없는 손에 의해
뽑히는 잡초가 내겐 꽃보다 좋다.

꽃은 가꾸고 다듬어가지만
잡초는 있는 그대로의 푸르름이

어머니들의 삶이 아닐는지

뽑히고 짓밟아도
누가 보지 않아도
다시 그 자리를 지키는 모성애

내 나이 지천명
잡초처럼 삶도 나쁘지도
않았던 것 같다.

홍어

바다 속에 사는 큰 새라고 불린다.

가오리를 항아리에 짚을 깔고
파묻혀 놓으면 두엄이 되어
내음과 곰삭은 진미다.

근접할 수 없는 그 독톡한 맛에
사로잡힌다.

혀끝에 다다르면 톡쏘는 맛에
얼굴 전체가 바람이 빠지는 기분이다.

씹으면 씹을수록 고소함이
더해지는 것은
아마도 유산균 진액이
맛을 풍미를 더해간다.

익으면 익을수록 묵어지는
사람도 음식 맛과 다르지 않다.

달달한 오후

달달한 햇볕에
노곤해지는 오후.

겨울에 스며든 봄의 왈츠에
지저귀는 새들조차도 낮잠에 드네.

산들바람에 느긋한 겨울동화에
병아리조차도 털갈이가 없네.

바다에는 갈치 떼의 물결 춤에
넘실거리는 너울성도 없고

달달한 사탕발림에 입술이 반짝반짝
구름이 하늘에 와 닿아 있고

캥거루 주머니에서 나온 새끼는
토끼처럼 봄의 교향곡을 뛰어다니고
봄의 왈츠는 콧 내음에 들어오는
바람결 향기가 아닐지.

겨울바람에 산들바람이 스며드니
낮잠이 오네

우
정

된장

알알이 불구덩이 고뇌의 몸부림 사투에서
누른 메주가 되어 새끼줄에 대롱대롱 매달린다.

형용할 수 없는 냄새는 푸른곰팡이
이끼 속에서 하얀 꽃을 피운다.

깊은 동굴에 갇혀 삭이고 녹아내리는 아픔에도
황금빛으로 탄생한다.

짭조름하면서도 칼칼한 감칠맛의 깊이는
숟가락에서 오는 향미에 뗄 수 없는 밥도둑이다.

순박하면서도 뚝배기처럼 무뚝뚝한 맛의 진가는
어머니의 사랑이다.

언제부턴가 우리들의 식습관이
산해진미가 되어버렸다.

살다가 문득 아련한 추억이 밀려오듯
고소한 맛은 힘들 때
같이 뛰놀던 친구가 아닐까 생각이 든다.

친구

머리가 희끗희끗
얼굴엔 주름이 보여도 말없이
표정만 봐도 포옹하는 친구
그때 그 시절 내게 주어도
아낌없이 보답을 바라지 않는 동심은
세월에 묻어 있어도
얼굴만 봐도
타임머신 타고 그때 그 시절에 돌아와 있네.
아련한 풋사랑은 견우와 직녀의
슬픈 사랑으로 별 헤는 밤
마지막 잎새처럼 사라졌지만
추억은 내 도화지에 그려져 있네.
친구
낮에는 햇살에 눈부신 존재
밤에는 달빛 속에 풋풋한 풀벌레 소리로
나를 속삭이는 아지랑이 존재
항상 0이라는 숫자밖에 없는 존재
항상 뜨거운 가슴이 뭉클한 존재
항상 보고 있어도 보고 싶은 존재
내 곁에 그림자같은 존재의 이유가
친구이기에
친구는 동화책입니다.

박꽃

호탕한 웃음에 에워싸여 박꽃이
운동장에 만발하게 피었네.

한 아름 색깔로 묶어놓은 함성은
천마산 하늘을 찢을 듯
높은 기상의 정기를 받고
박꽃이 천지가 되었다.

흩어지면 죽듯이 하나가 되어 뭉치니
땡볕도 이기지 못하고
산솔 바람에 천마초등학교 나이는
70년 그 시절 운동회가 열렸다.

족구 줄넘기 달리기 노래자랑은
하나가 된 동심의 훌라춤 박꽃이다.

핀 꽃은 시들지도 못하고 열기는
카메라 빛의 광채 하늘에 불꽃 축제다.

조잘대는 새소리는 잎새에도 떨어지지 않는
천마산의 정기에 희로애락이요
만산 보물의 큰 섬이다.

6학년 4반

오늘 우리 반이 모였다.
각자의 개성이 또렷한 친구들
얼굴만 봐도 웃음이 나오고
몸 개그에 노래가 나온다.
순박한 모습이 초등 친구 같다.
가식도 없고 자기의 본의
애증이 넘쳐 행복하다.
음악이 흐르고
우정도 흐르고
사랑도 흐르고
화려한 불빛 축제다
영원한 친구들 아름다운 추억
잊지 못할 겁니다.

친구들 사랑합니다.

팔랑개비

바람 따라 팔랑팔랑 움직이며 회오리를 일으킨다. 후덥지근한 날씨 탓에 일회용 선풍기 하나씩 손에 들고 오고 가는 모습에서 어릴 적 팔랑개비가 생각난다.

사각 종이에 칼로 잘라 압침으로 고정시켜 나무젓가락으로 손잡이를 만들어 바람부는 대로 뛰어다녔던 그 시절 얼마나 행복했는지 새삼스럽다.

요즘 세대는 자기중심주의 시대라 그런지 배려가 없다. 그래서 물건도 홀품이 인기 비결 같다.

가난했지만 자연처럼 있는 그대로의 순수함이 그리워지니 초등 친구들이 지금 그립다.

모교

40년의 세월이 무색할 정도로
천마국민학교 모교를 부를 때
왠지 모를 아련한 눈물이 글썽거렸다.

철없고 힘들고 어려울 때
만난 친구들
그리운 얼굴들
없어도 함께 할 수 있었던 친구들.

나이는 먹어도
모교는 변하지 않는 가사에 남아
그 안에서 하나가 될 수 있었던
그 마음 그대로
우린 분명 한 줄기였다.

친구란
변하지 않는 소나무다.

고맙습니다

봄날이 온 것처럼
따뜻한 온기의 친구들이
너무 고맙습니다.

둥지 잃은 새에게
둥지를 찾아 주는 친구들이
너무 고맙습니다.

따뜻한 호빵 속에 꽉 찬
단팥처럼 배고픔 그 속을
채워주는 친구들이 있어
행복한 사람임을 알았습니다.

각각의 삶이 다르지만
마음은 하나가 될 수 있는 것이
친구라는 것이 행복해지는
나이가 두렵지 않습니다.

우린 어쩜 누구에게서 위로받고
사랑받고 싶어지는
우정에 의해 너그러워지는 삶
오늘이 있는 겁니다.

못난이 삼형제

날씨가 못난이 삼형제처럼
웃다가 울다가 신경질적이다.

무엇이든
확 트인 꾸준함이 없네

시시콜콜 감기처럼
가래가 목구멍에 달라붙어
몸살이 인다.

그래도 오늘은 빗속에서
못난이가 웃고 있네.

찌질이처럼 하루에도 몇 번씩
울다, 짜증, 웃는
못난이 삼형제가 오늘 한 몸이다.

친구도 그렇다.
어떨 때는 짜증스럽고
어떨 때는 울고 싶을 때도 있지만
아무리 힘들고 싫다 하더라도
얼굴만 봐도 웃을 수 있는 벗이
있다는 그 이유 하나가 전부인걸
나이 먹을수록 값진 삶의 여운이다.

친구는
못난이 삼형제가 모여
다 같이 마지막 웃는 것이다.

감칠맛 나는 비처럼
친구도 그렇다.

오늘
못난이 삼형제가
옛 생각이 그리운 친구가 있어
무르익는 잔잔함이
저녁노을이다.

동행

함께 할 수 있는 동행이 있으매
추운 겨울도 따뜻한 내복같은
느낌이 들겠죠.

함께 할 수 있는 동행이 있으매
찜통더위에도 얼음에 냉각되어
땀띠가 없겠죠.

함께 할 수 있는 동행이 있으매
힘들어도 나눌 수 있는 더하기가
있어 덜 하겠죠.

함께할 수 있는 동행이 있으매
나그네의 설움 같은 울분은 없겠죠.

함께 할 수 있는 동행이
모든 이의 친구가 될 수 있고
모든 이의 동반자가 될 수 있어
함께는 사랑보다
따뜻한 가슴을 안고 사는 불사조가
아닐지~~~말입니다요―

초등친구

소담한 그릇에 담긴
초등 친구들 추억을 만들어 가는
그릇이 바가지가 되었으면 한다.
두루두루 쓰면서
부담이 없는 바가지가 좋다.

때론
의견 충돌도 생기고
마음에 들지 않는 내 취향의
친구가 있다고 하더라도
그때 그 시절에 담긴 소박한 그릇에
추억의 보따리가 하나임을
기억은 추억의 하마다.

먹으면 먹을수록 단맛이 나고
씹으면 씹을수록 달콤함이 나서
잊지 못할 초콜릿 맛에 녹아내린다.

만남은 단맛이고
단맛에 우린 웃을 수 있는 벗이다.

사랑보다 더 값진
추억을 만들어 가는 선물이다.

타인의 의식도 없는 무아지경

조잘대는 순박한 얼굴들.

그래서
초등 친구는 짚신이다.
오른쪽 왼쪽이 없다.

수학여행

코흘리개 친구들이
머리카락이 힐끗힐끗한 나이가
들어 수학여행을 간다.

과거와 현재가
공존하는 여행을 가고 있다.

순수 그 자체만으로
해맑은 미소가 아련한
추억 여행이다.

친구 자체만으로
행복한 여행이다.

현재의 모습에서
그때로 두근두근
여행을 가고 있다.

가을 소풍

나들이 가을 소풍을 간다.
철부지 어린 동심으로 돌아간다.
수다스러운 야시들의 옹알이
과묵한 목소리가 굵은 톤으로
개구쟁이로 변한다.

잠자는 개구리가 폴닥폴닥
사방이 자기 영역을 만났다.
색동옷 입고 소풍을 간다.
한들거리는 코스모스도 반기고
천지가 우릴 반긴다.

가식도 없고
있는 그대로 천진난만한 모습으로
40년만에 소풍을 간다.

설레임 오는 여행은
잊을 수 없는 추억을 만들고
잊지못할 한 폭의 풍경화를 그린다.
소풍가는 날
그 하루만큼은 최상의 날이
되어 주는 여행이 되었으면 좋겠다.

타임머신 그때 그 시절로
되돌아 멈추어버린 채로

소풍을 간다.

짝궁이랑 손잡고 교가를 부르면서
일체유심초 같은 마음으로

담양 나들이
자연을 싣고 달린다.

인생무상 아무것도 아닌걸
무엇에 그렇게 집착하는지
모를 인생사지만
자연의 무소유로 오늘 가자
와자지껄거리는 친구들의
수다가 우박 소리 울리면서
바람을 일으키며 가을 사랑을 만든다.

호두과자

내 친구 중에 순박하고 착한
친구가 내민 따뜻한 호두과자를
먹으면서 웃는 미소에 눈물나네요

그 친구를 보면 가진 것은 없어도
천진난만한 표정으로 주는
호두과자는 산해진미보다 맛나는
맛이었다.

겉치레의 화려한 표장보다
순수 자체만으로
따끈한 호두과자는
그 친구의 착하고 진실된 모습에서
가을 언저리가 온실 같았다.

휴게실 호두과자가 아닌
잊을 수 없는 친구의 따뜻한 마음

형용할 수 없는 옛날 은은한
온돌방처럼 겨울이 춥지 않을 것 같다.
그런 친구가 있어
세상이 아름답고 살맛나는 것 같다.

우리는 친구

주거니
받거니 취하며
청춘도
인생도
친구들 술잔에 담아본다.

흉허물도 산화시켜 줄
순수함에 빠지는 친구들
한 사람
한 사람의 해맑은 얼굴들이 그립다.
견주어지면 아니 되는
허물이 없는 순수한 벗

허물도 칭찬도 말할 수 있고
마음속에 깊이 다져진
믿음과 이해로 따뜻하게 묶어 줄
마력의 힘이 초등 친구가 아닐까?

생각나고 그리울 사랑처럼
추억을 만들어가는
첫사랑의 설렘처럼
만들어 가는 친구들이 그립다.

-엮으면서-

주저앉을 수 없어서
뒤돌아설 수 없어서
차마 고립을 피하여
길은 모퉁이가 된다.

사랑하기 위해서
살아가기 위해서
너와 이어진 모든
길에 모퉁이가 있다.

 그의 글은 늘 '길' 위에 있습니다.
 수많은 모퉁이로 굴곡진 그의 '길'은 온화한 '여인'과 '어머니'의
이야기로, '인생' '자연' '우정'을 담은 '시'로, 짙은 외로움으
로 채색된 낯선 계절의 풍경화였습니다.

 "~걸어 걸어 가을 끝에 서 봅니다." " ~질문도 답도 없는
강물 한가운데 위태위태 떠 있는 거룻배가 아닐까" "~난데
없이 당신이 있어 행복합니다."

 그의 글을 엮으면서 어쩌면 - 마치 자신에게 일갈(一喝)하
는 듯한 - 알맹이 그대로 쏟아낸 원석(原石)의 글들이 읽는
이에게 불편을 줄 수도 있겠다는 생각이 들었습니다. 그럼에
도 눈비음 하나 없는 몸짓을 날것 그대로 내놓기로 했습니
다. 겉에 머물지 않고 그 속내와 정면으로 마주하는 일은 독

자의 몫이라 생각했기 때문입니다.

 그의 글을 모아 세 주제로 나누어 실었습니다. 무슨 의미가
있는 것은 아니고 그저 읽기에 편할까 해서입니다. 부족한
역량에도 그의 글을 읽고 또 이렇게 손수 엮어 펴낼 수 있어
벅차고 기쁩니다. 한편으론 이미 여러 문예지 등에 실린 바
있는 그의 글들을 함께 담지 못한 아쉬움도 크게 남습니다.

 거듭된 질긴 요청에 발가벗기는 부끄럼을 무릅쓰고 책을 내
기로 허락해 준 그의 결단과 용기에 고마움을 표합니다.
 많은 친구들이 함께 읽고 영감을 나눌 수 있다면 더 좋겠습
니다.
 앞으로도 그의 글줄이 끊이지 않고 이어져 훗날 책을 낼 수
있는 기회가 또 있기를 희망해 봅니다.

 그의 건필을 기원합니다.

-엮은이(한용운)-